Max v
les animaux

Merci pour ses conseils à Mireille Roy,
adjointe au maire de Lyon, déléguée à l'Écologie urbaine
et à la qualité de l'environnement.

Si tu trouves un animal blessé
ou si tu veux faire partie d'une association,
tu peux contacter :

- La Ligue pour la Protection des Oiseaux - www.lpo.fr
- Le Sanctuaire des Hérissons - www.herisson.eu
- Le site enfants du WWF - www.club-panda.fr

Si tes parents cherchent des produits frais et bio
près de chez vous, ils peuvent contacter :

- L'Association pour le Maintien de l'Agriculture Paysanne
www.reseau-amap.org

Série dirigée par Dominique de Saint Mars

© Calligram 2011
Tous droits réservés pour tous pays
Imprimé en Italie
ISBN : 978-2-88480-593-3

Ainsi va la vie

Max veut sauver les animaux

Dominique de Saint Mars

Serge Bloch

CALLIGRAM

CHRISTIAN GALLIMARD

* Retrouve Tim et Lola dans Max et Lili veulent tout savoir sur les bébés.

7

Des ambulances pour animaux, ça existe aussi !

Deviens ambulancier !
Tu pourras sauver les bêtes
que tu écraseras avec
ton ambulance !

Lili... !

C'est vrai ! Depuis qu'il a fait
son exposé sur la bio...,
sur la bio-divorcité...

Bio-di-ver-si-té* !
J'ai compris, moi, qu'il faut
respecter l'environnement !
Pour vivre, on a besoin
de tous les animaux
et de toutes les plantes.
La biodiversité, c'est ça !...

* Biodiversité : bio c'est le vivant, la diversité, c'est la différence des espèces.

8

Il nous pompe l'air !

Si on ne protège pas les espèces vivantes, les hommes finiront par disparaître aussi ! Einstein* a dit que si les abeilles disparaissaient, les hommes n'auraient plus que quelques années à vivre !

Seules les femmes resteront !

Abeilles et autres espèces en voie de disparition, dormez tranquilles ! MAX EST LÀ !

Grrr !

* Einstein : Albert Einstein, un des plus grands scientifiques du monde, a vécu de 1879 à 1955.

9

* Retrouve le club que Lili a créé dans *Lili veut protéger la nature*.

* Pesticides : produits chimiques qu'on met sur les plantes pour tuer les insectes comme les pucerons qui s'en nourrissent.

* Les producteurs bio s'engagent à ne pas utiliser de pesticides ni d'OGM.

*Retrouve-les dans Max va à la pêche avec son père.

15

* Engrais chimiques : produits chimiques qui font pousser les plantes plus vite.

16

17

Tip Tip Tip

J'ai pris mon petit déjeuner. Je vais à la recherche d'animaux qui ont besoin d'aide...
Max

Avec un peu de chance, on va tomber sur un hérisson malade...

On va le sauver... et on aura une récompense...

Viens, Angus, les vaches, ce n'est pas une espèce en voie de disparition, enfin pas encore !

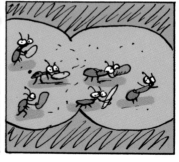

22

On n'a pas de chance, Angus. Il n'y a que des animaux heureux dans cette forêt ! C'est pas étonnant... Ici, il n'y a pas de pollution, pas de voitures, pas de pesticides...

On rentre ?

Tu prendrais quel chemin, toi ? Tu veux dire à droite ?

Ouaf ! Ouaf !

Si j'avais compté sur toi, on se serait perdus...

Hé ! Madame ! Madame !
Savez-vous que les coccinelles
mangent les pucerons ?
Elles peuvent remplacer
les pesticides !

Vous savez quoi ? J'ai converti une paysanne au bio ! Je lui ai fait promettre de ne jamais utiliser de pesticides sur ses pommiers !

Bravo !

Tiens, elle ressemble à la dame de la bouteille !

Hum !

C'est Nanon ! C'est elle qui nous a tous entraînés dans la culture bio !

Argh !

29

30

Une heure plus tard...

Regardez !

J'ai trouvé un hérisson !
Il était au bord
de la route, tout seul,
à côté de sa mère
morte, toute aplatie
par une voiture !

Il est trop mimi...
T'es un vrai papa, Max !

Viens, on t'emmène
chez Nanon !

34

35

* Compost : ce sont des restes de plantes, de feuilles, de légumes, etc. ,
qui fermentent et que l'on utilise comme terreau pour nourrir les plantes.

Il faut mettre une pierre au milieu...

Pour que les insectes et les oiseaux ne se noient pas...

Ce tas de bois et de feuilles, ça va faire une super cachette aux hérissons...

... et aux oiseaux pour nicher car il n'y a plus de haies entre les champs !

Le lendemain matin, à l'aube...

Max, à notre retour, je donne ma démission. Et je te propose comme Président du club des « Verts de Terre ».

J'accepte si on fait un coin sauvage chez nous.

Et toi...

Est-ce qu'il t'est arrivé la même histoire qu'à Max ?
Réponds aux deux questionnaires...

Si tu as envie de sauver les animaux...

Tu aimes les animaux ? Tu en as déjà sauvé un ?
Lequel ? Comment ? Tu voudrais être vétérinaire ?

Tu essaies de bien connaître les animaux pour mieux
les protéger ? Par l'observation, les livres, les films ?

Tu ne tues pas d'animaux par plaisir ?
Tu es indigné(e) quand on les maltraite ?

Tu fais des photos d'animaux ? Tu fais partie
d'une association ? Tu luttes contre la pollution ?

Tu finis ton assiette car tu sais que c'est dur de produire
la nourriture ? Tu voudrais être agriculteur ?

Tu essaies de manger des produits frais, sans
additifs ? Tu aimerais que ta cantine soit « bio » ?

Tu n'aimes pas les animaux ? Ils te font peur ? Ils te donnent des allergies ? La nature ne t'intéresse pas ?

Tu crois que les animaux ne sont pas en danger et qu'il reste assez de plantes dans le monde ?

Tu penses qu'il ne faut pas nourrir les animaux sauvages car après ils ne savent plus se nourrir seuls ?

Tu voudrais être scientifique pour inventer de nouvelles façons de produire la nourriture sans abîmer la nature ?

Tu aimes consommer, tu ne veux te priver de rien, tu ne veux pas changer de vie pour protéger la nature ?

Tu te trouves trop jeune pour t'occuper de biodiversité et que c'est aux gouvernements de le faire ?

**Après avoir réfléchi
à ces questions
sur la protection des animaux,
tu peux en parler
avec tes parents ou tes amis.**